Martha Graham

Bailarina moderna

por Alex Rivas

HOUGHTON MIFFLIN BOSTON

2

Cuando nació Martha Graham, el 11 de mayo de 1894, nadie imaginó que cambiaría para siempre el mundo de la danza. La familia de Martha vivió cerca de Pittsburgh, Pennsylvania, hasta 1909. Ese año, su padre, que era doctor, decidió que la familia debía mudarse a Santa Bárbara, California.

El papá de Martha le enseñó cómo se mueve el cuerpo humano. También le dijo que a veces la forma en que se mueven las personas dice algo sobre sus sentimientos. Martha pensó en esa idea durante mucho tiempo.

Después, en 1911, el papá de Martha la llevó a ver una representación en la *Mason Opera House*. Martha se emocionó mucho al ver una actuación de danza. Le gustaba hacer muchas actividades atléticas, pero nunca antes había bailado.

La bailarina que Martha vio actuar en el escenario era una mujer llamada Ruth St. Denis. Sus actuaciones estaban basadas en danzas tradicionales de todo el mundo.

Mientras Martha observaba desde el público, supo que un día sería una bailarina como Ruth St. Denis.

En 1916, Martha ingresó en la compañía *Denishawn*, una escuela y grupo de danza dirigida por Ruth St. Denis y Ted Shawn. Shawn era el esposo de St. Denis. También era bailarín.

La mayoría de los demás bailarines de *Denishawn* habían practicado desde que eran chicos. Martha ya tenía 22 años de edad y tenía poca experiencia en la danza.

Eso no la detuvo. Trabajó en la danza día y noche para alcanzar el nivel de los demás.

Al poco tiempo, su esfuerzo dio frutos. Ted Shawn le dio el papel principal en una de las representaciones de danza de la compañía. Luego, empezó a crear danzas para mostrar el talento de Martha.

El primer papel protagonista que bailó Martha fue sobre una joven indígena de México. La carrera de Martha había empezado. De inmediato, la gente pensó que Martha era una bailarina maravillosa.

Martha bailó con la compañía *Denishawn* durante siete años. Pero no quería bailar solamente los bailes de otras personas. Ella soñaba con crear danzas propias.

En 1923, Martha se mudó a Nueva York. Allí deseaba hacer su sueño realidad.

En Nueva York, Martha bailó en un espectáculo de Broadway llamado *Greenwich Village Follies*. Bailaba tan bien que al poco tiempo se convirtió en una estrella. Viajó por todo Estados Unidos y por Europa con sus actuaciones.

Por entonces, el director del espectáculo le decía a Martha cómo debía bailar. Ella quería tener la libertad de hacer su danza a su estilo. Dos años después, Martha dejó el *Greenwich Village Follies* para bailar como solista. Poco después, empezó su propio grupo de danza. Sería conocido como la Compañía de Danza de Martha Graham.

Ahora Martha estaba a cargo de un grupo de bailarines. Tenía ideas novedosas sobre la forma en que los bailarines debían moverse. Los bailarines de Martha no se movían como otros bailarines de *ballet*. Ellos pisaban muy fuerte y rodaban por el suelo. En lugar de volar en el aire, se arrastraban a través del escenario.

Martha hacía que sus bailarines realizaran entrenamientos largos y difíciles. Inventó ejercicios nuevos que les ayudaban a ser mejores bailarines. Y creó docenas de danzas nuevas para mostrar su talento.

Nadie había visto danzas como las de Martha. No sólo expresaban belleza y alegría, sino también emociones como la cólera y el miedo. Cada movimiento que ella y sus bailarines hacían era intenso y rígido. Sus bailes no se parecían en nada a lo que la gente pensaba que debía ser el *ballet*.

A algunas personas no les gustaban estas danzas nuevas. Pensaban que las antiguas eran mejor. Algunas personas dijeron incluso que la danza de Martha era fea. Pero a muchas otras personas les encantaba la nueva danza de Martha.

La danza de Martha también era diferente musicalmente. En esa época, la mayoría de la música que se usaba para la danza era música clásica escrita hacía mucho tiempo. Pero Martha no quería usar música clásica.

Con la ayuda de compositores de música como Louis Horst, Martha puso música nueva a sus bailes. La música y la danza juntas creaban espectáculos llenos de emoción y sentimiento. Cada danza nueva era un desafío para Martha y sus bailarines, y empezó a ir gente de todo el país para verlos actuar.

Martha amaba la danza sobre todas las cosas. Pero también fue una profesora talentosa. Desde 1934, Martha empezó a enseñar danza en la Escuela de Danza de Bennington College de Vermont. Allí también creó y ensayó programas nuevos con su compañía de danza.

La danza de Martha se hizo tan famosa que, en 1937, bailó en la Casa Blanca para el presidente Roosevelt. A lo largo de su carrera, Martha bailó en la Casa Blanca ¡seis veces más!

En 1944, Martha creó una de sus obras más famosas, *Primavera en los Apalaches*, que trataba sobre el matrimonio de una pareja de granjeros. Aaron Copland, un popular compositor, escribió la música. El escultor Isamu Noguchi creó la escenografía.

Martha bailó el papel principal, a pesar de tener casi cincuenta años de edad. La mayoría de los bailarines tienen carreras muy cortas, pero la de Martha Graham fue muy larga.

A medida que Martha se hizo mayor, su deseo por bailar siguió siendo muy fuerte. No le parecía justo, pero su cuerpo se empezó a cansar. Al principio, creó papeles más fáciles para ella. Por último, bailarinas más jóvenes hicieron sus papeles.

Martha hizo su última actuación pública de danza en 1969, cuando tenía 75 años de edad. Dejó el mundo de la danza durante algunos años. Pero en 1972, volvió a su trabajo como directora de la Compañía de Danza Martha Graham. Permaneció en ese puesto durante casi veinte años más.

Durante su carrera, Martha Graham ganó muchos premios por su trabajo. En 1976, el presidente de Estados Unidos, Gerald Ford, le dio la Medalla de la Libertad de la Presidencia. Martha fue la primera bailarina que ganó ese premio.

En 1985, el presidente Ronald Reagan le concedió una de las primeras Medallas Nacionales de las Artes.

En 1990, Martha Graham hizo el último viaje con la Compañía de Danza Martha Graham, a los 96 años. Murió en 1991, en Nueva York. Martha creó cientos de danzas durante su vida. Mostró a los bailarines de todo el mundo una manera nueva de danzar. Gracias a ella, el mundo de la danza nunca volvería a ser el mismo.